经全国中小学教材审定委员会2002年初审通过

义务教育课程标准实验教科书

KE XUE

科 学

五年级 下册

教育科学出版社

·北京·

主　　　编　郁　波

本册负责人　喻伯军

原　作　者　常瑞祥　姜向阳　姜允珍　盛晶晶　郁　波

修订作者　喻伯军　姜向阳　童海云

顾　　　问　潘厚任　位梦华

审　读　人　孔祥旭　刘　鸿

责任编辑　王　薇　殷梦昆　李　伟　马明辉　王维臻

责任校对　刘永玲

责任印制　叶小峰

照片拍摄　李燕昌　陈洪志

美术总设计　曹友廉

美术编辑　侯　威　郝晓红

封面设计　曹友廉

版面制作　北京鑫华印前科技有限公司

经全国中小学教材审定委员会 2002 年初审通过

义务教育课程标准实验教科书

科　学

五年级　下册

教育科学出版社　出版发行

（北京·朝阳区安慧北里安园甲 9 号）

邮编：100101

教材编写组、编辑部电话：010-64989521,64989523

传真：010-64989519　市场部电话：010-64989009

网址：http://www.esph.com.cn

电子邮箱：science@esph.com.cn

各地新华书店经销

合肥杏花印务股份有限公司印装

开本：184 毫米×260 毫米　16 开　印张：6

2003 年 12 月第 1 版　　2018 年 12 月第 16 次印刷

ISBN 978-7-5041-2679-5

审图号：GS(2018)6216 号

定价：11.06 元

目录

沉和浮／热／时间的测量／地球的运动

沉和浮

热

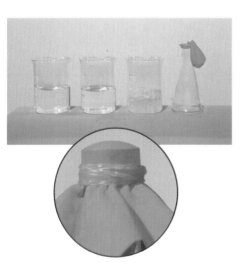

Contents

时间的测量

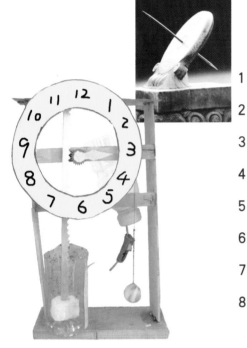

地球的运动

沉和浮

石块放入水中，沉下去了；木块放入水中，浮起来了。物体的沉浮现象与什么有关呢？铁块在水中是沉的，为什么钢铁造的大轮船却能浮在水面上，还能装载货物呢？从井中提水时，同样是盛满水的桶，离开水面后要比在水中感觉重很多。这又是什么原因呢？本单元的内容将帮助我们揭开物体沉浮的秘密。

1 物体在水中是沉还是浮

　　物体在水中是沉还是浮？哪些物体在水中是下沉的，哪些物体在水中是上浮的呢？

观察物体的沉浮

　　把砖块和木块分别轻轻放入水里，观察它们在水中的沉浮情况。

　　把塑料块轻轻放入水里，观察它在水中是沉还是浮。

观察更多物体在水中的沉浮

　　先预测物体在水中是沉还是浮，说说预测的理由，再把它们放入水里观察。

	小石块	泡沫塑料块	回形针	蜡烛	带盖的空瓶	萝卜	橡皮
预测							
理由							
结果							

　　把我们的预测与实验结果相比较，预测正确的有哪些，预测不正确的有哪些？

　　整理自己的预测理由，想一想物体的沉浮可能与什么因素有关呢？

　　试试我的这个物品是沉还是浮。

观察同一种材料构成的物体在水中的沉浮

由同种材料构成的物体，改变它们的轻重和体积大小，它们在水中的沉浮情况会改变吗？

橡皮在水中是沉的，把橡皮切成一半大小，还会沉吗？再切成四分之一、八分之一大小，还会沉吗？推测把它切得更小会怎样。

萝卜在水中是浮的，把萝卜切成一半大小，还会浮吗？再切成四分之一、八分之一大小，还会浮吗？推测把它们切得更小会怎样。

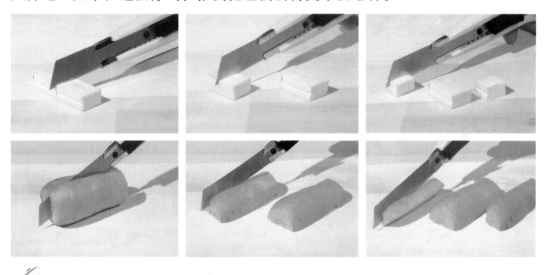

物体	大小	预测	理　由	结　果
橡皮	一半			
	四分之一			
	八分之一			
	更小			
萝卜	一半			
	四分之一			
	八分之一			
	更小			

通过以上实验，我们可以得到什么结论？

一枚回形针在水中是沉的，把两枚回形针穿在一起，还是沉的吗？

把更多的回形针穿在一起，放入水里，是沉还是浮？

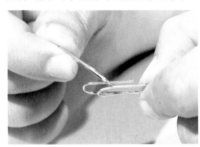

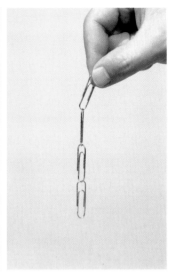

一块木块在水中是浮的，用透明胶带把两块木块粘在一起，放入水里，还是浮的吗？

如果把三块、四块甚至更多的木块粘在一起，它们在水中是沉还是浮？

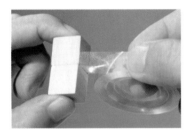

通过以上实验，我们又得到了什么结论？

由同一种材料构成的物体，在水中的沉浮变化有什么规律吗？

2 沉浮与什么因素有关

我们已经知道，同一种材料构成的物体，在水中的沉浮与它们的轻重、体积大小没有关系。那么，不同材料构成的物体，在水中的沉浮与它们的轻重、体积大小有关系吗？

分析物体在水中的沉浮规律

利用前一节课的材料进行研究。

按体积大小顺序排列七种物体，再标出它们在水中是沉还是浮。想一想，物体的沉浮和它的体积大小有关系吗？

按轻重顺序排列七种物体，再标出它们在水中是沉还是浮。想一想，物体的沉浮和它的轻重有关系吗？

当我们对这些物体进行比较时，为什么看不出它们的轻重、体积大小与沉浮之间的关系？

当遇到这种情况时，科学家往往采用控制其他因素不变的方法，来研究某一个因素是否对物体产生作用。

可能是物体的轻重和体积大小都在同时影响它们的沉浮。

控制其他因素进行研究

把一组大小相同的球按轻重顺序排列在桌上，推测它们在水中的沉浮，再放进水里观察。想一想，物体的沉浮和物体的轻重有关系吗？

把一组轻重相同的立方体物体按体积大小顺序排列在桌上，推测它们在水中的沉浮，再放进水里观察。想一想，物体的沉浮和物体的体积大小有关系吗？

当我们用这两组材料进行研究时，为什么能够看出物体的轻重、体积大小对沉浮的影响呢？

用小瓶子继续研究

找一个空瓶子，盖上盖子，让它浮在水面上。往空瓶子里一次次地加水，研究加多少水，小瓶子就能沉入水中。

从这个实验中，我们能得到什么结论？

瓶中装上有颜色的水看得更清楚。

思考与讨论

不同材料构成的物体，在水中的沉浮有什么规律？

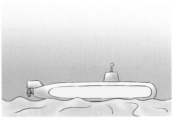
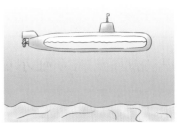

1   2   3

潜艇既能在水面航行，又能在水下航行。潜艇有一个很大的压载舱。打开进水管道，往压载舱里装满海水，潜艇会下潜，打开进气管道，用压缩空气把压载舱里的海水挤出舱外，潜艇就开始上浮。

3 ▷ 橡皮泥在水中的沉浮

有的物体在水中是沉的，有的物体在水中是浮的。我们能想办法改变它们的沉浮吗？

观察橡皮泥的沉浮

把一块橡皮泥放入水里，观察它的沉浮。

把一块橡皮泥做成各种不同的实心形状，放入水中，观察它的沉浮。

橡皮泥的形状改变了，它的轻重改变了吗？

让橡皮泥浮在水面上

试试看，改变橡皮泥的形状，让它浮在水面上。

同一块橡皮泥，做成不同的形状，有的沉入水中，有的浮在水面上，这是什么原因呢？

比较橡皮泥排开的水量

把一块橡皮泥做成不同的形状，虽然它的轻重没有变，但它在水中的沉浮可能发生改变。是什么发生了变化呢？我们来测量不同形状的橡皮泥在水中排开的水量是否发生了变化。

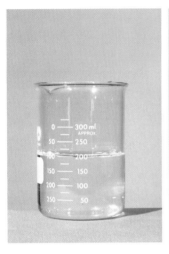

我们把物体在水中排开水的体积叫做排开的水量。

这个橡皮泥排开的水量是25毫升。

取一个量杯，在量杯里倒入200毫升水，把橡皮泥做成实心团，放入量杯中，观察它排开的水量，做好记录。再把橡皮泥做成能浮在水面的各种形状，观察它们排开的水量，也记录在表格中。

橡皮泥排开的水量

橡皮泥的形状	量杯里的水量（毫升）	放入后水面刻度	排开的水量（毫升）	沉浮状况
实心团	200			
沉的形状	200			
能浮的形状①	200			
能浮的形状②	200			
能浮的形状③	200			

从上面的数据中我们发现了什么？

铁块在水中是沉的，钢铁造的大轮船却能浮在水面上，还能装载货物。对于这个问题，我们能解释了吗？

4 ▷ 造一艘小船

船是人类的伟大发明。自从有了船，人们可以自由方便地在水面上行驶，也可以把很多的货物运送到远方。让我们来造一艘小船。

用橡皮泥造船

橡皮泥在水中是沉的，如果用一定量的橡皮泥造一艘小船，我们怎样造能造出一艘装载量比较大的船呢？

各组的橡皮泥轻重相同，怎样把船造得大一点儿呢？

把船造得尽量大，装载货物就多。

哪艘船装载的货物多

用垫圈来当货物吧。

玻璃球也行。把船分隔成几个船舱试试。

我们采用了什么方法增加小船的装载量？我们用什么方法保持船的平稳？还有什么方法可以使我们的船装载得更多？

用其他材料造船

我想造什么样的小船？

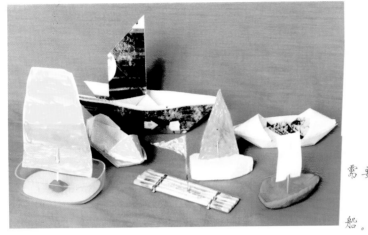

造这艘小船需要什么材料？

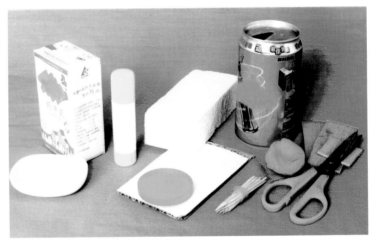

我的船能装很多东西！

我的小船有哪些特点？

我的小船还有哪些需要改进的地方？

船的展览会

船的发展史

5 浮力

木块、泡沫塑料块、萝卜……许许多多的物体都能浮在水面上，为什么会有这种现象呢？我们怎样才能知道呢？

感受浮力

当我们用手指往下轻压水面上小船的底部，手指有什么感觉？

把一块泡沫塑料块放在水面，用手把它压入水中，手有什么感觉？

像泡沫塑料块这样浮在水面上的物体，都会受到水

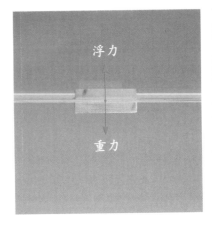

把小船和泡沫塑料块往水中压，手能感受到水对小船和泡沫塑料块有一个向上的力，这个力我们称它为水的浮力。

的浮力。当泡沫塑料块静止浮在水面时，它受到的浮力等于它受到的重力，且方向相反。

测量泡沫塑料块受到的浮力

当把泡沫塑料块压入水中时，它受到的浮力有变化吗？是多大呢？我们能用弹簧测力计测出浸入水中的泡沫塑料块受到的浮力大小吗？

把泡沫塑料块拉进水中，读出弹簧测力计的拉力。

把弹簧测力计放在水下拉泡沫塑料块。

弹簧测力计只能拉，不能压，怎么办呢？

弹簧测力计在水下拉，不合适吧？

弹簧测力计一般只能测量拉力，因此我们可以在杯子的底部装上一个小滑轮，再利用一根线就可以用弹簧测力计测出泡沫塑料块受到的拉力了。

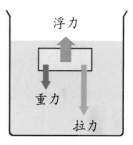

 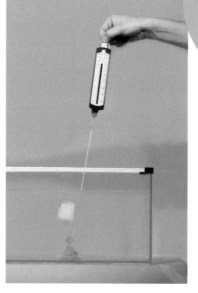

可以用钩码代替小滑轮，也可以用其他可以使线穿过的物体代替小滑轮，但都要用橡皮泥固定住。

未放入水前先测量泡沫塑料块受到的重力，再用线拉住泡沫塑料块，使它进入水中一定的位置，然后读出弹簧测力计上拉力的数值。把拉力加上泡沫塑料块受到的重力，就是泡沫塑料块在水中所受到的浮力大小。

泡沫塑料块在水中受到的浮力记录表（自重：　　牛顿）

	小部分浸入水中	大部分浸入水中	全部浸入水中
拉力大小			
浮力大小			
排开的水量			

从上面的实验数据中，我们知道了什么？

测量大小不同的泡沫塑料块受到的浮力

大小不同的泡沫塑料块，完全浸入水中，它们所受到的浮力相同吗？

大小不同的泡沫塑料块受到水的浮力记录表

	小泡沫塑料块	中泡沫塑料块	大泡沫塑料块
自重			
拉力大小			
浮力大小			
排开的水量			

根据以上测得的数据，泡沫塑料块受到的浮力大小，主要与什么因素有关？

把泡沫塑料块压入水里，一松手，为什么它会上浮？

6 ▷ 下沉的物体会受到水的浮力吗

浮在水面上的物体会受到水的浮力作用，沉入水中的物体会受到水的浮力作用吗？

下沉的物体是否受到水的浮力

生活中，我们会遇到这样的情况：从井中提水时，同样是盛满水的桶，离开水面后要比在水中感觉重很多，这是什么原因呢？是不是水桶在水中也受到了水的浮力？

我们来设计一个实验进行验证。

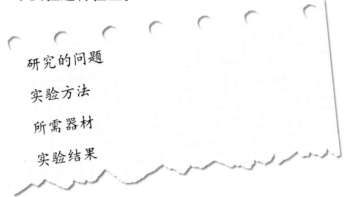

研究的问题

实验方法

所需器材

实验结果

下沉的物体受到水的浮力的大小

下沉的物体在水中受到的浮力大小会变化吗？

下沉物体受到的浮力记录表

	小部分浸入水中	大部分浸入水中	全部浸入水中
在空气中的测力计读数			
在水中的测力计读数			
浮力大小			
排开的水量			

从数据中，我们能知道下沉的物体受到水的浮力了吗？

下沉物体受到的浮力大小，与什么因素有关呢？

大小不同的同一种石块，完全浸入水中，它们受到的浮力大小有不同吗？

	小石块	中石块	大石块
在空气中的测力计读数			
在水中的测力计读数			
浮力大小			
排开的水量			

石块受到的浮力大小，与什么因素有关？为什么把石块放入水中，它就下沉了？

我们来画一画石块和泡沫塑料块在水中受到的重力和浮力情况。

我们能用重力和浮力的关系来解释物体在水中沉浮的原因吗？

7 马铃薯在液体中的沉浮

见过这样的现象吗？同一个物体放在不同的液体中，有的浮，有的沉，这是为什么呢？物体的沉和浮还和什么因素有关呢？

马铃薯的沉浮

把马铃薯分别放入两杯液体中，观察它的沉浮状况。

马铃薯在水中

马铃薯在不知名的液体中

同一个马铃薯，在一个杯中沉，在另一个杯中浮，我们怎么解释其中的原因？

可能两种液体不一样。

很明显，马铃薯受到的浮力不同。

难道不同的液体产生的浮力会有大有小？

观察比较两种液体

从两杯液体中各取一滴液体，滴在铁片上加热，观察比较液滴变干后留下的痕迹。

原来不知名的液体里溶解了其他物质，使马铃薯浮了起来。

调制一杯使马铃薯浮起来的液体

是不是液体里只要溶解了其他物质，马铃薯就一定能浮起来？我们来调制一杯能使马铃薯浮起来的液体。

> 我们取100毫升的水加入食盐做实验。

> 再做一杯糖水试试看。

实验记录

食盐的量	水的量	沉浮情况
	100毫升	
	100毫升	
	100毫升	
	100毫升	

> 还是有别的原因？

> 有的马铃薯没有浮起来，是什么原因呢？

> 是糖水不能使马铃薯浮起来吗？

淹不死人的湖——死海

在约旦与巴勒斯坦之间，有一个名叫死海的咸水湖。死海里的水咸极了，含盐量比普通的海水高出六七倍。因为水太咸了，湖边很少长草，水里没有鱼，一片死气沉沉，所以得了个死海的名称。可是死海却淹不死人。即使不会游泳的人在死海里也不会下沉。人能在死海的湖面上漂浮，要是有兴致的话，还可以悠闲地躺在水面上读书看报呢。

探索马铃薯沉浮的原因

马铃薯在有的液体中下沉，在有的液体中上浮，是不是马铃薯在不同液体中受到的浮力有大有小？让我们用弹簧测力计来测量、比较同一种物体在清水、浓盐水、浓糖水、酒精中受到的浮力大小。

测量钩码在不同液体中受到的浮力

用马铃薯测量不方便。

先用钩码来研究吧。

钩码在不同液体中受到的浮力大小

	清水	浓盐水	浓糖水	酒精
在液体中的测力计读数				
受到的浮力				

物体在不同的液体中受到的浮力为什么会不同呢？

推测与验证

同体积的清水和浓盐水哪个重？与同体积的马铃薯比较，它们的重量相同吗？怎么比较同体积的马铃薯、清水和浓盐水的轻重呢？

同体积的马铃薯、清水和浓盐水的轻重比较

	马铃薯	清水	浓盐水
重量			

分析表中的数据，我们知道马铃薯沉浮的秘密了吗？物体的沉浮与液体有什么关系呢？

判断塑料块的沉浮

1立方厘米的塑料块、清水、浓盐水和食用油的轻重

塑料块	清水	浓盐水	食用油
0.9克	1克	1.3克	0.8克

推测把这块塑料块放入清水、浓盐水和食用油中，它的沉浮情况会怎样？

软木塞浮在油上

塑料块浮在水上

葡萄在糖浆上

漂浮在水银上的铜砝码

酒厂里，有一种能够比较液体轻重的仪器，我们了解其中的原理吗？

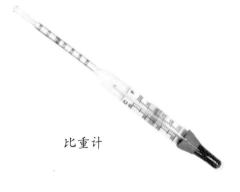

比重计

空气 ——

变性酒精 ——

玉米油 ——

水 ——

水银 ——

经过一个单元的学习，我们来总结：
物体在水中的沉浮与什么因素有关？物体在液体中的沉浮与什么因素有关？

沉浮自如的"浮沉子"

　　"浮沉子"为什么能够沉浮自如呢？它在瓶子中的重量并没有改变，那么改变的因素只能是体积。粗看，它的体积也没有变化，但是如果我们仔细观察"浮沉子"，就可以发现：当我们用力挤压瓶子时，笔帽里的空气被压缩，一部分水进入笔帽，导致"浮沉子"排开水的体积变小，受到的浮力减小，它就下沉了；反之，当我们松开手，水的压力减小，笔帽里的空气体积增大，"浮沉子"排开水的体积随之增大，受到的浮力也增大，它就浮上来了。

王冠的秘密

　　两千多年前，在古希腊有一位伟大的物理学家，叫阿基米德（公元前287—前212年）。他的一生勤奋好学，专心致志地献身于科学，受到人们的尊敬与赞扬。

　　有一次，国王要金匠给他做一顶王冠，做王冠用的金子事先称过。王冠做好了，精巧别致，而且重量跟当初国王所给的黄金一样。国王听说工匠在王冠中掺进了白银，偷走了一些金子。可是，称称王冠的重量，并没有少；从外表看，也看不出来。国王把阿基米德找来，要他判断这顶王冠有没有掺进白银，如果掺了，掺进去多少。这次，可把阿基米德难住了。他回到家里苦思苦想了好久，也没有想出办法，每天饭吃不下，觉睡不好，像着了魔一样。

有一天，他在澡堂洗澡的时候，脑子里还想着称量王冠的难题。突然，他注意到，当他的身体在浴盆里沉下去的时候，就有一部分水从浴盆边溢出来。同时，他觉得入水愈深，则他的体重愈轻。于是，他立刻跳出浴盆，忘了穿衣服，就跑到人群熙攘的街上去了。一边跑，一边叫："我想出来了，我想出来了，解决王冠的办法找到啦！"

原来，阿基米德已经想出了一个简便方法，可以判断王冠是不是纯金做的。他把金王冠放进一个装满水的缸中，一些水溢了出来。他取出王冠，把水装满，再将一块同王冠一样重的金子放进水里，又有一些水溢了出来。他把两次溢出的水加以比较，发现第一次溢出来的多。于是他断定王冠中掺了银子。然后，他又经过一番试验，算出了银子的重量。当他宣布这个结果的时候，金匠们一个个惊得目瞪口呆。他们怎么也弄不清楚，为什么阿基米德会知道他们的秘密。

阿基米德继续深入研究浮力的问题，发现了自然科学中的一个重要原理——阿基米德定律。即：物体在水中受到的浮力等于物体排开水的重力。

曹冲称象的故事

　　有一次，孙权送给曹操一只大象，曹操很想知道这只大象有多重，就叫他手下的官员想办法把大象称一称。这可是一件难事。大象是陆地上最大的动物。怎么称法呢？那时候没有那么大的秤，人也没有那么大的力气把大象抬起来。官员们都围着大象发愁，谁也想不出称象的办法。

　　正在这个时候，跑出来一个小孩子，站到大人面前说："我有办法，我有办法！"官员们一看，原来是曹冲。大家嘴里不说，心里在想：哼！大人都想不出办法来，一个五岁的小孩子，会有什么办法！可是千万别瞧不起小孩子，这小小的曹冲就是有办法。

　　曹冲说："我称给你们看，你们就明白了。"他叫人牵着大象，跟着他来到河边。曹冲说："把大象牵到船上去。"大象上了船，曹冲说："齐水面在船帮上划一道记号。"记号划好了以后，曹冲又叫人把大象牵上岸来。接下来曹冲叫人挑了石块，装到大船上去，挑了一担又一担，大船慢慢地往下沉了。曹冲看见船帮上的记号齐了水面，就叫人把石块又一担一担地挑下船来。这时候，大家明白了：石头装上船和大象装上船，那船下沉到同一记号上，可见，石头和大象是同样的重量；再把这些石块称一称，把所有石块的重量加起来，得到的总和不就是大象的重量了吗？

沉和浮

常见物品的轻重比较

观察下面常见物品在相同的体积下，轻重有什么不同。

这些物品是由不同的物质构成的，它们在水中的沉浮，与轻重有什么关系？从这张表格中，我们可以得出物体在液体中的沉浮规律吗？

1立方米物体	轻重（千克）
金	19300
铜	8900
铁	7900
花岗岩	约2700
水	1000
冰	900
蜡烛	900
酒精	800
干松木	约500
空气	1.29

热

我们一定都有过这样的经验：双手捂住一个装有热水的杯子，手会慢慢地热起来；要是握住一块冰，手就变得越来越冷。

我们想过这是怎么回事吗？

我们平时说的热，实际上是一种能量，它很容易"跑来跑去"。当两个物体接触时，热量可以从一个物体直接传给另一个物体。

……

但有时，我们的身体并没有直接接触热的物体，我们怎么也能感觉到热呢？

我们能减缓热量的散失吗？

……

关于热，有许多问题值得我们去研究呢！

1 ▶ 热起来了

当我们觉得手冷时，用力搓一搓手，就会感觉热起来了。这是因为两只手互相摩擦产生了热。还有哪些方法可以产生热？

怎样给身体增加热量

当我们觉得有些冷的时候，我们经常用哪些方法使自己热起来？
这些方法是怎么使我们的身体热起来的？

多穿几件衣服。

晒太阳。

打开电暖器。

吃点儿热的食物。

食物提供给了我们能量。

衣服能给我们增加热量吗？

太阳为我们带来了热量。

衣服能给身体增加热量吗

衣服能给我们增加热量吗？

讨论讨论吧！

晚上，我们钻进被窝，感觉被子是凉的还是热的？早上醒来，被窝里又是什么感觉？晚上再去睡觉的时候，被窝还热吗？这说明了什么？

怎么观测呢？

衣服到底能不能给身体提供热量？我们能设计一个实验来进行观测吗？

实验中我们观察到了什么现象？

我们的体温和衣服的温度比较，哪个高？

衣服能给我们的身体提供热量吗？

多穿衣服身体怎么会觉得热起来了？我们能解释其中的原因吗？

2 给冷水加热

要使一杯冷水变成热水，我们有哪些方法？水在变热的过程中会发生什么变化？

给塑料袋里的冷水加热

用能密封的小塑料袋装一些冷水，然后把它浸没在热水盆里。塑料袋里的水会热起来吗？

还发现了什么现象？

把这一小袋加热了的水，放在冷水里，它是沉的还是浮的？

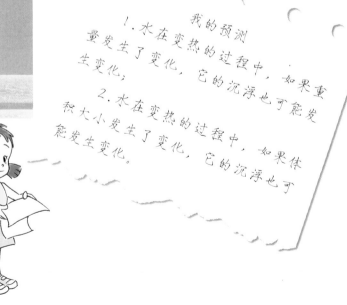

我的预测

1. 水在变热的过程中，如果重量发生了变化，它的沉浮也可能发生变化；

2. 水在变热的过程中，如果体积大小发生了变化，它的沉浮也可能发生变化。

这是怎么回事？

研究水在变热过程中的变化

热水在冷水中上浮是什么原因引起的呢?
观察水在变热过程中重量是否发生变化。

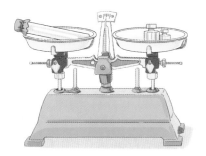

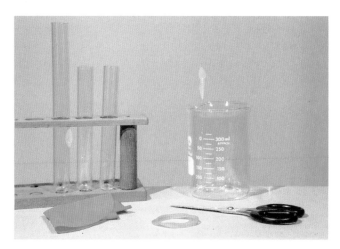

观察水在变热过程中体积是否发生变化。

在试管里装满水,剪一小块气球皮把试管口蒙住,并用橡皮筋扎紧。

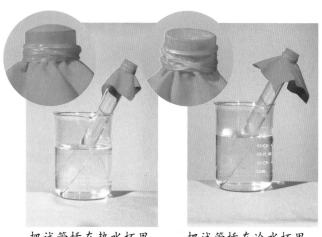

把试管插在热水杯里,使试管内的水变热

把试管插在冷水杯里,使试管内的水变冷

水受热后,重量有变化吗?体积变了吗?

3 ▷ 液体的热胀冷缩

水在受热或受冷后，体积会怎样变化？我们能清楚地观察到这种变化吗？其他液体也具有这种性质吗？

观察水的体积变化

冷水变成热水后，试管里的水面会是怎样的？

> 唉，看不出来了。气球皮鼓得差不多。

> 这两杯水，哪一杯更热？

怎样才能明显地看到水的体积变化？

> 体积增加一点点，水在细管里就上升一大截。

> 不能漏水！

> 用红水看起来更清楚。

观察水在受热时的体积变化

观察水在受冷时的体积变化

能从水的体积变化推测这盆水的冷热吗?

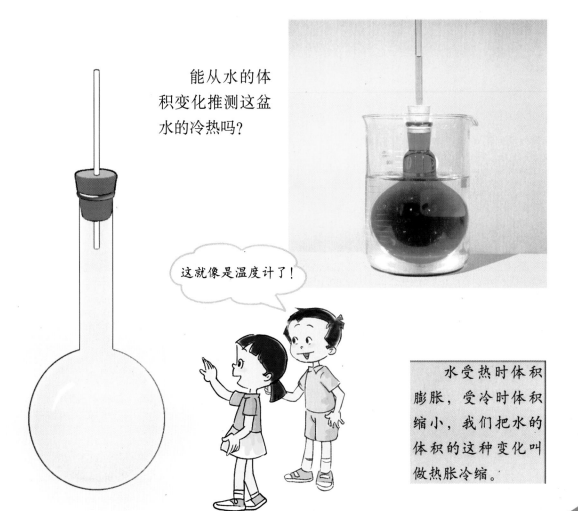

这就像是温度计了!

水受热时体积膨胀,受冷时体积缩小,我们把水的体积的这种变化叫做热胀冷缩。

其他液体也热胀冷缩吗

研究水的热胀冷缩的装置，能用来研究其他液体是否热胀冷缩吗？
液体的种类很多，选择哪些液体来观察研究呢？

这些液体也热胀冷缩吗？

啤酒瓶或饮料瓶里面的啤酒、饮料都不会装满，这是为什么？

4 ▶ 空气的热胀冷缩

　　水和许多液体，都有热胀冷缩的性质，空气是否会热胀冷缩呢？如果会热胀冷缩，我们能试着解释这种现象吗？

观察空气是否热胀冷缩

　　把空气装在瓶子里，使瓶内的空气受热或受冷。只要观察瓶内空气的体积变化，我们就知道空气是否热胀冷缩了。

　　可是，空气是看不见的，我们怎么知道它的体积有没有变化呢？

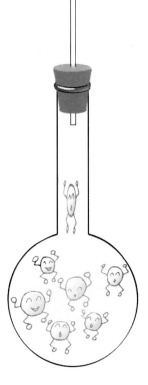

体积膨胀了，我就从瓶口往外跑。

　　如果瓶内的空气体积膨胀，瓶内的空气就会往外挤。只要想办法观察到瓶内的空气在往外跑，我们就知道瓶里的空气在膨胀了。

　　我们能想出一些观察的办法来吗？

热水　　常温下的水　　冰水

热水

常温下的水

冰水

与水相比，空气的热胀冷缩有什么特别的地方？

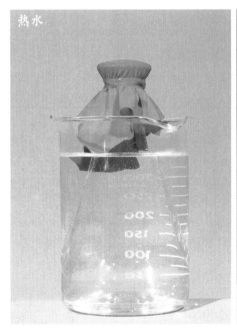
热水

冷水

怎样解释热胀冷缩现象

温度变化了，水和空气的体积都会发生变化，这是怎么回事？

我们能解释水和空气的热胀冷缩现象吗？

当我们都紧挨着站在教室中间，和每个人都起劲儿地在教室里跳跃时，哪种情况下占据的空间大？

我们来做一个模拟空气"微粒"运动的游戏：请一部分同学扮作空气微粒，站在中间，另一部分同学则手拉手绕着"微粒"围成一圈，作为"气球"。当"空气微粒"安静地挨个站在中间时，拉手的同学需要围成多大的圈？在地上作好记号。然后请"空气微粒"们手舞足蹈或作剧烈运动，拉手的同学需要围成多大的圈？

从游戏中，我们明白了什么？

物体的热胀冷缩是怎样引起的？我们能建立自己的假说吗？

常见的物体都是由微粒组成的，而微粒总在那里不断地运动着。物体的热胀冷缩和微粒运动有关：当物体吸热升温以后，微粒加快了运动，微粒之间的距离增大，物体就膨胀了；当物体受冷后，微粒的运动减慢，微粒之间的距离缩小，物体就收缩了。

5 金属热胀冷缩吗

水、空气等一些液体和气体，都有热胀冷缩的性质，固体是否热胀冷缩呢？

我们找一些金属材料来观察一下吧！

观察铜球的热胀冷缩

通过铜环的铜球

用酒精灯加热铜球

加热后的铜球不能通过铜环了

将铜球放入水中冷却

铜球冷却后，又能通过铜环了

做实验时要注意安全哟！

重要提示

1. 注意使用酒精灯的安全；

2. 禁止触摸铜球，加热后的铜球会烫伤皮肤。

观察钢条的热胀冷缩

钢铁造的桥在温度变化时会热胀冷缩。因此，铁桥通常都架在滚轴上。

用一段30厘米左右长的钢条做一个桥的模型，然后给"桥"（钢条）加热，观察会发生什么情况，钢条会伸长吗？

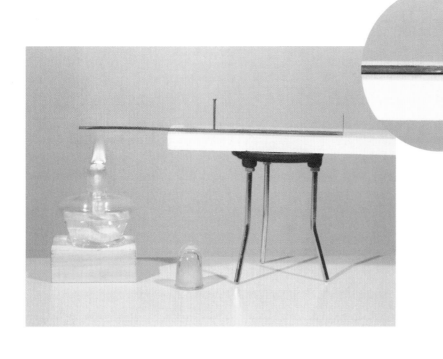

我们能设计一个实验装置，观察钢条的变化吗？

金属的热胀冷缩

我们用铜球、钢条做了这些实验，可以肯定地说"金属受热时会膨胀"吗？

还有很多金属我们没有观察过。

要作出这一类完整的概括之前，应该先做些什么？

每种金属都观察一遍。

金属有几十种，我们能观察得全吗？

可以了解一下科学家的研究结果！

我们根据自己所掌握的证据可以作出怎样的结论？

水有热胀冷缩的性质，空气有热胀冷缩的性质，铜和钢有热胀冷缩的性质……许多物体都有热胀冷缩的性质。

大多数的金属会热胀冷缩，可是有两种金属就与众不同，它们是热缩冷胀。这两种金属就是锑和铋。

锑的这种奇特性质曾被用在印刷上，早些年印刷书报用的铅字就掺有锑。所说的铅其实是铅和锑的合金，当熔化了的合金浇进铜模里冷却凝固时，由于锑热缩冷胀，字的笔画会十分清晰，而且经久耐用。

6 ▶ 热是怎样传递的

用酒精灯给金属条加热，一会儿金属条就会变得很热、很烫。我们能解释这种变化吗？热是怎样传递的呢？

热在金属条中的传递

如果把金属条的一端浸在很烫的热水中，用手触摸露出水面的那部分金属条，感觉有什么变化？

热是怎样从金属条的一端传到另一端的？

用酒精灯在金属条的中部加热，热将会在金属条中怎样传递？

我们怎样能观察到热的传递方向？

在一段铁丝上每隔一定距离用蜡粘上一根火柴，将铁丝固定在铁架台上，火柴都向下悬挂，用酒精灯给铁丝的一端加热。观察哪端的火柴先掉下来。

当心别烫着手！

热在金属片中的传递

在涂有蜡的金属圆片的中心加热，观察蜡的融化情况，推测热的传递方向和过程。

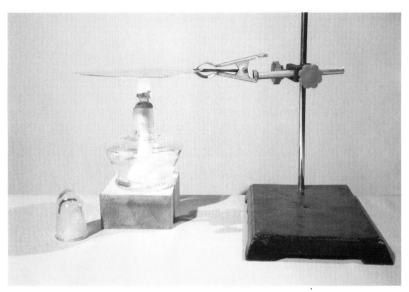

在涂有蜡的金属圆片边缘的一个点上加热，观察蜡的融化情况，推测热的传递方向和过程。

热总是从较热的一端传向较冷的一端。

通过直接接触，将热从一个物体传递给另一个物体，或者从物体的一部分传递到另一部分的传热方法叫做热传导。

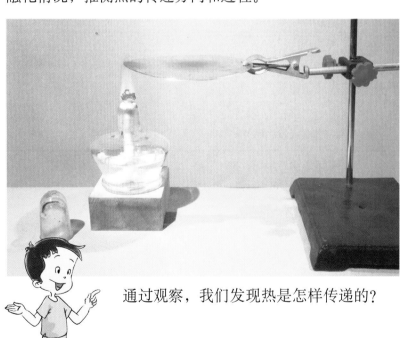

通过观察，我们发现热是怎样传递的?

7 ▷ 传热比赛

在生活中，有时候我们希望热能迅速地通过一个物体，比如通过需要加热的锅底。但在有些情况下，我们却希望它通过得越慢越好，比如需要手持的锅柄上。

不同材料制成的物体在传热方面有什么不同吗？

哪个传热快

塑料勺、木勺也能传热吗？与钢勺相比，哪种传热快？

铜、铝的传热性能与钢一样吗？

这三种材料的传热性能怎样排序？哪一种是最好的热导体？

8 ▷ 设计制作一个保温杯

哪个凉得慢些

在大小差不多的不锈钢杯、陶瓷杯、塑料杯中,分别倒入同样多的相同温度的热水。然后,用手摸一摸各种杯子的外壁。有什么感觉?

哟,太热不能拿。

这只一点儿不烫。

要注意安全。

过几分钟后,这三杯水的温度还一样吗?哪杯水凉得快些?
实际测一测,结果怎样?与我们的推测一样吗?

水的温度怎么不一样了呢?

我知道是什么原因。

因为钢吸热快,散热也快。

做一个保温杯

怎样使杯中的热水凉得慢些？

用毛巾把杯子包起来。

把杯子嵌在泡沫塑料里。

给杯子加一个密封的盖。

试一试各种方法的保温效果。

保温效果实验记录表

	开始温度	10分钟后温度	降温多少
无盖的杯子			
杯上加盖			
杯外包毛巾			
加盖、外包毛巾			
杯子嵌入塑料泡沫			

保藏冰块比赛

选择合适的材料制作一个保温杯，要求杯外的包装物厚度不得超过3厘米。并比一比哪组的保温杯的保温效果最好。

把同样多的冰块装入各组制作好的保温杯里，比较哪个组的冰块融化得最慢。

热胀冷缩和冷胀热缩

你仔细观察过水泥路面吗？工人叔叔在铺路的时候总是把水泥路面做成一块块的，块与块之间都留有1厘米左右宽的缝隙。这是为什么呢？一条大马路做成平坦的一整条不是更好吗？

原来，水泥路面在夏天被太阳晒得滚烫，受热体积胀大，就要向四面延伸。有了这些缝隙，留出了延伸的余地。冬季冰天雪地，温度很低，水泥路面又要收缩。每一块水泥路面都收缩，缝隙处被拉大。如果没有预先留下整齐的缝隙，那么水泥路面将会被自己的热胀冷缩拉得四分五裂，整个路面就要坏掉。所以水泥路面要做成一块块的。

一般的物体都会受热膨胀，遇冷收缩。例如钢轨的温度每升高1℃，它的长度就会伸长原来长度的十万分之一。在炎热的夏天，烈日照到钢轨上，温度可以达到30℃～40℃；在严寒的冬天，钢轨又会冷到零下十几度，甚至零下二三十度。就算夏天和冬天温度只差50℃，一条500千米长的铁轨，夏冬之间的长度要相差250多米呢！所以，铁路上的钢轨并不是密接的，每根钢轨之间都留有一定的间隙。

各种物质热胀冷缩的本领是不同的。如果沿着这条500千米长的铁路架一条铝质电线，在冬夏温差50℃时，电线

热

45

的长度可能会相差600多米呢！这是因为铝线遇热以后，温度每升高1℃，长度就会增长原来长度的一百万分之二十四，即增长0.000024倍，比钢的热胀冷缩本领大得多。所以，夏天架电线，不能绷得太紧。

液体遇热也会膨胀，温度计就是根据液体热胀冷缩的性质设计的。

大多数物质在受热时体积会膨胀，是因为物质加热后，它吸收的能量使微粒运动得更快，范围更大，因而占据更多的空间。反过来，受冷时体积会收缩，是因为物质受冷后，减少了能量，使微粒运动变慢，范围缩小，因而占据的空间也就变小了。

自然界也存在着一些反常现象，水的膨胀就是这样。在4℃以上时，水和普通液体一样，都是热胀冷缩的。但是在4℃以下却会出现冷胀热缩的反常现象，温度越低，体积反而会增大。当温度降到0℃，水结成冰时，体积膨胀幅度更大，大约是4℃时水的体积的1.1倍。

水结冰时的反常膨胀是很常见的，冬天里自来水管或水表冻裂，就是管子里的水结冰体积膨胀而引起的。

不过，水的这个怪脾气，却保护了水中的生命。严冬到来以后，千里冰封，池塘、湖泊、河流的表面都冻结了，但河水深处却没有结冰。因为温度4℃时水的密度最大（体积最小），上层的水受到严冬袭击之后，温度低于4℃时，体积膨胀，密度变小，

只能浮在上层，直到结冰。以后，水的冷却就主要靠传导了。水是热的不良导体，河水深处依然保持着4℃，鱼虾便在那里过冬。

热的传递方式

　　热从一个物体转移到另一个物体，或者从物体的一部分转移到另一部分的过程，称为热传递。热传递主要通过热传导、对流和热辐射三种方式来实现。

　　热传导：通过直接接触将热从一个物体传递给另一个物体，或者从物体的一部分传递到另一部分的过程。

　　对流：通过中介物（如水或空气）的流动而传热的过程。

　　热辐射：物体以电磁波的形式向外发射热能的过程。

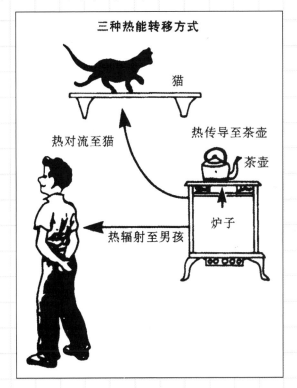

　　热传导和热对流通过物质微粒的接触转移热量。热辐射是电磁辐射的一种形式，它通过空间以每秒约30万千米的光速传递。几乎所有的物体都进行热辐射。物体的温度越高，散发的热辐射量就越多。

　　热总是从温度高的物体传递到温度低的物体。当热量传给一个物体时，这个物体的热能就会增加。随着热能的增加，它的温度就会逐渐升高。与此同时，放热的物体的温度就相应地降低。热量会不断地从一个物体转移到另一个物体，直至两个物体的温度相等。一杯热气腾腾的热水，放在房间的桌子上，它会慢慢地变凉，直到与室温相同。这是因为热量从热的水中跑到了房间里的空气中。

所以，热量绝不会真正消失。它只是从一个物体转移到了另外一个、两个或更多的物体。

热的良导体和不良导体

不同的物体传导热量的快慢是不一样的。

金属物体导热很快。钢、铁做的炒锅很容易烫起来，所以食物一会儿就熟了。我们把这一类物体称为热的良导体。木头、塑料导热却很慢，所以铁锅的木把儿或塑料柄不会很热，它不会烫伤我们的手。像木头、塑料等，我们把它们叫做热的不良导体。

右边的图表列出一些常见材料的相对导热值。数据越大，导热性越好。

导热性能好的物体，往往吸热快，散热也快。如果我们要制作一只食物低温保鲜盒，该选择使用哪种材料呢？

导热度（相对值）	
铜	8000
铝	4000
钢	1100
耐热玻璃	24
混凝土	2
橡胶	2
泡沫塑料	1

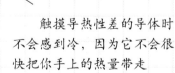

金属，优良导热体 ————

木头，不良导热体 ————

大理石，优良导热体 ————

塑料，不良导热体 ————

触摸导热性差的导体时不会感到冷，因为它不会很快把你手上的热量带走

时间的测量

　　几点了？看一下钟表不就知道了！可要是没有钟表呢？

　　想象一下，如果有一天全世界的钟表真的一下子都停了，世界会变成什么样？

　　……

　　从前人类确实经历了一段没有钟表的时期。

　　他们怎样来安排工作和生活呢？他们怎样知道时间呢？后来又怎样发明了计时的钟表呢？

　　在这一单元的学习过程中，我们将不断地解决这些疑问，了解更多的计时方法。而且，我们还将设计出我们自己的时钟呢！

1 时间在流逝

不看时钟和手表，我们能知道现在大约几点钟吗？

现在几点了

看看自己的手表或钟，现在几点了？

一分钟有多长

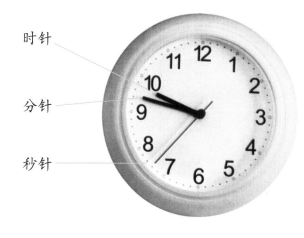

时针

分针

秒针

钟表以时、分、秒计量时间，钟面上的秒针每转动一格，表示时间流逝了1秒钟，秒针转动一圈则表示时间流逝了1分钟……

不看时钟，我们来估计一下一分钟持续的时间有多长。

怎样可以使我们的估计更准确？

如果让我们估计10分钟持续的时间，或者是1小时所持续的时间，我们有哪些方法？能估计准确吗？

过去多少时间了

从上课开始到现在已经过去多长时间了？离下课还有多长时间？

我们估计得准确吗？

观看一段我们感兴趣的动漫节目。看完后，估计一下这段动漫节目播放了多长时间？在节目没有开始前，我们等待了多长时间？

根据自身的感觉来计量时间，准确吗？怎样能比较准确地计量时间呢？

2 ▶ 太阳钟

　　如今，我们只需看一看钟表就能知道现在几点了。可过去的人们并没有我们今天使用的钟表，在时钟发明之前，古人是用什么来计量时间的呢？

用太阳来计时

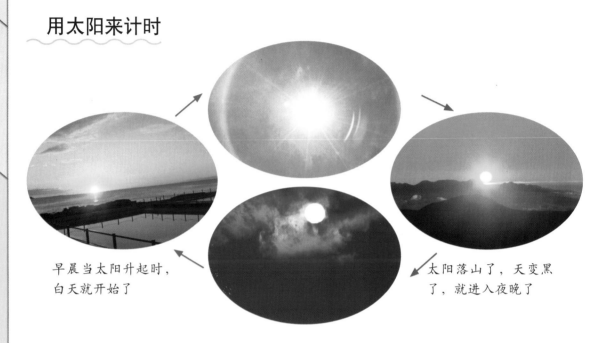

早晨当太阳升起时，白天就开始了

太阳落山了，天变黑了，就进入夜晚了

　　古时候，一天分为几小时？是怎样划分的？

白天和晚上每小时的时间怎么不一样长？

……古埃及人把天空划分为36个星座，通过观测这些星座在一年时间里横贯天空的情况，利用星座计算时间。埃及人观察到在这段时间里有12个星座横过天空，于是他们把夜晚确定为12个小时，同样，白昼也被确定为12个小时。但夏夜实际上大约有8个小时。

在远古时代，人类用天上的太阳来计时。日出而作，日落而息，昼夜交替自然而然成了人类最早使用的时间单位——天。

用光影来计时

古代的人还常常用光影来计时。他们是怎样做的呢?

日晷

在太阳下,将一根细木棒竖直地插在地上,地面上就会有一个木棒的影子。随着时间的变化,影子的方向、长短也会慢慢地发生变化。

根据太阳和影子的关系,我们能制成一个可用来计时的太阳钟吗?

讨论与思考

在白天人们是怎样利用太阳来计时的?

"太阳钟"在实际使用中会有哪些问题?

阴天又怎么知道时间?

晚上怎么知道时间?

3 用水测量时间

在古代，人们还曾经利用流水来计时，他们是怎样设计这种计时工具的呢？

古代的水钟

这些"水钟"是怎样报时的？

古代水钟

容器内的水面随水的流出而下降，从而测出过去了多少时间。

"泄水型"水钟

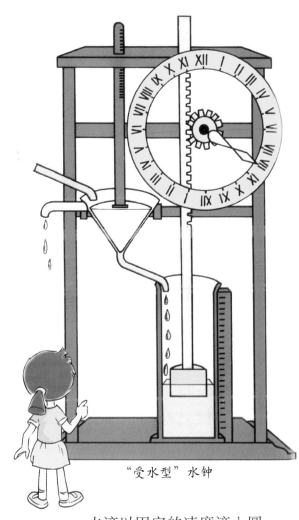

"受水型"水钟

水滴以固定的速度滴入圆筒，使得浮标会随水量的增加而逐渐上升，从而显示流逝的时间。

古人是怎样想到用流水来制成计时的工具的？"水钟"的制作必须解决什么问题？

滴漏实验

把一个透明塑料饮料瓶去掉底部，倒过来盛水，在瓶盖上扎一个小孔，让水可以从小孔中缓慢流出。

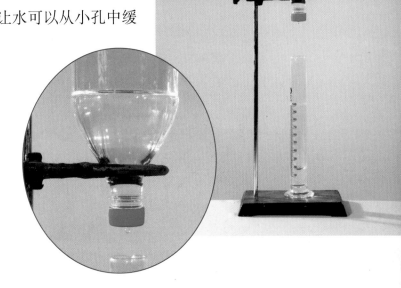

在瓶子中装300毫升水，观察并记录从瓶中漏出100毫升水需要的时间。重复观察几次，每次所需要的时间相同吗？

用刚才的瓶子装300毫升水，同样让水从瓶盖的小孔中漏出，并用玻璃量筒接住从瓶中漏出的水。

量筒内的水积聚到10毫升和50毫升时，分别需要多少时间？

如果漏完全部的300毫升水，需要多少时间？

试一试，我们的推测正确吗？

水是以固定的速度往下流的吗？能让水以固定的速度往下流吗？古人是怎样保持水钟里的水以固定的速度往下流的？

在同样的瓶子里装水，如果水是一滴一滴地往下漏，漏完100毫升水，所需的时间将怎样变化？

4 我的水钟

我们能用两个塑料瓶制成一个能计时10分钟的水钟吗?

设计"水钟"

用画图的方法把我们的设计方案表示出来。

1. 我准备做一个什么类型的水钟?（泄水型或受水型）

2. 怎样控制漏水的速度?

3. 如何来划分10分钟的时间刻度?

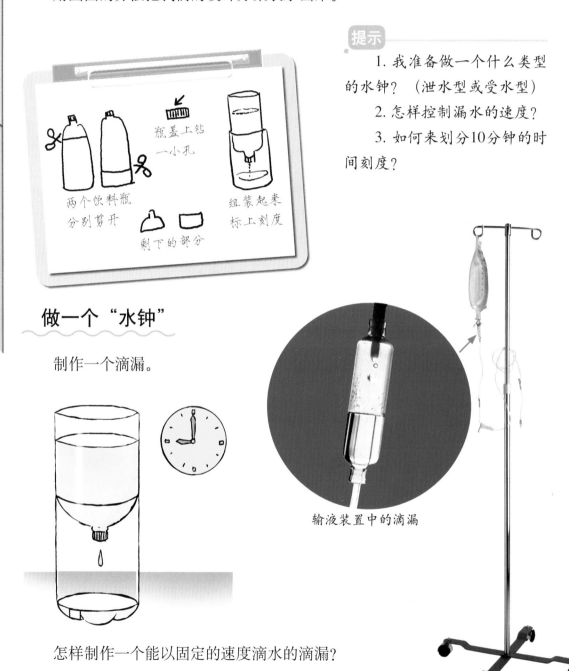

瓶盖上钻一小孔

两个饮料瓶分别剪开

剩下的部分

组装起来标上刻度

做一个"水钟"

制作一个滴漏。

输液装置中的滴漏

怎样制作一个能以固定的速度滴水的滴漏?

标出时间刻度。

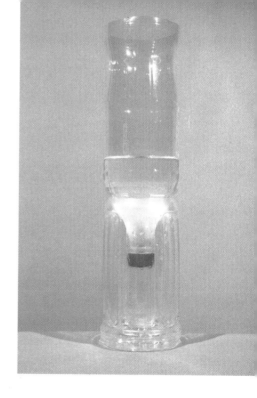

确定合适的滴水速度，用手表记时，在容器壁上标出水流出（或接水）1分钟和5分钟时的水位刻度。

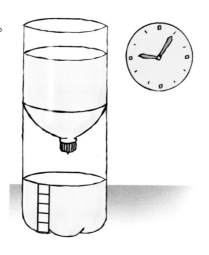

然后，依水位来推算时间，分别标出1分钟～10分钟的时间刻度。

用水钟来计时

用做好的"水钟"与钟表对照，我们的水钟计时准确吗？

影响水钟计时准确的因素有哪些？

这是我们制作的"受水型"水钟。

与盛水容器的形状有关吗？

是否与滴水的速度也有关？

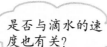

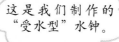

怎样改进我们的水钟？

5 机械摆钟

虽然像日晷、水钟以及燃油钟、沙漏等一些简易的时钟，已经可以让我们知道大概的时间，但是人们总希望有更精确的时钟。

摆钟的出现大大提高了时钟的精确度。

观察钟摆

摆钟是怎样来计量时间的？

再测一次。

用秒表测一测，摆钟的摆每分钟摆动几次？

钟摆每分钟摆动次数的记录

	第一次	第二次	第三次	
次数				

钟摆每分钟摆动的次数相同吗？

观察我们的摆

我们也来做个摆，观察摆在摆动的时候有什么特点。

拿一条细绳，上端固定，下端挂上一个小重物，就组成了一个简单的摆。

观察摆的摆动，我们发现它有什么变化吗？

让我们的摆自由摆动，用秒表计时，每隔10秒时间记录一次摆动的次数。

摆动次数的观察记录

	第1个10秒	第2个10秒	第3个10秒	第4个10秒
摆动次数				

我们小组的摆在自由摆动过程中，快慢有变化吗？其他小组的摆呢？

我们通过观测，有了什么新发现？又产生了什么新的问题？

6 摆的研究

不同的摆自由摆动的快慢一样吗？摆的快慢与什么有关？

> 好像跟绳子的长短有关。

> 根据以前的观测，摆幅大小对摆的快慢影响不大。

> 可能与摆锤的重量有关吧。

> 我们还是做实验观察一下吧！

> 与摆动的幅度也有关系。

用摆做实验

改变摆锤重量的实验。

把细绳固定在挂钩上，下端挂一摆锤，让摆小幅度自由摆动。观察摆在15秒内摆动的次数。

接着增加摆锤的重量，使摆锤重量是原来的两倍、三倍，但绳长不变。分别测出摆在15秒内摆动了多少次。

15秒内摆动次数记录

	原来重量	两倍重量	三倍重量
第一次			
第二次			
第三次			

比较观测结果，我们发现了什么？

改变摆绳长度的实验。

不改变摆锤的重量，把绳长增加到原来的两倍，同样观察摆在15秒内摆动的次数。看看加长绳子会不会影响它摆动的快慢？

15秒内摆动次数记录

	原来绳长	两倍绳长
第一次		
第二次		
第三次		

摆的快慢与什么有关

摆的快慢与绳长有关吗？与摆锤的重量有关吗？

什么样的摆摆动得慢，什么样的摆摆动得快，我们是怎样知道的？

右边两个摆，绳子的长度相同，摆动的快慢会一样吗？

先推测一下，然后观察实际结果是怎样的？

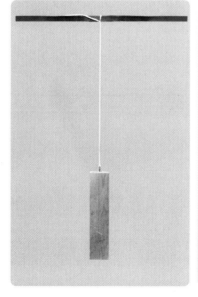

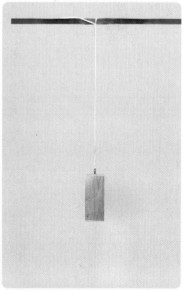

我们有什么新发现？又产生了什么新问题？

7 做一个钟摆

根据我们对摆的研究，让我们来制作一个钟摆。

摆长怎样影响摆动次数

取两根长度分别为20厘米、30厘米、粗细相同的木条（或塑料棒），竖直悬挂在支架上，让其能自由摆动。观察哪个摆动得快，哪个摆动得慢。

摆的快慢与木条（或塑料棒）的长度有什么关系？

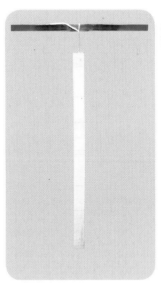

如果在30厘米长的木条（或塑料棒）上固定一块金属圆片，这个摆的摆动快慢会变化吗？

观察并记录它们在15秒内分别摆动多少次。

15秒内摆动次数记录

	没有金属圆片的摆	加上金属圆片的摆
第一次		
第二次		
第三次		

我们观察到了什么变化？怎样解释这种变化？

金属圆片在木条（或塑料棒）上固定的位置不同，对摆动的快慢有影响吗？

15秒内摆动次数记录

	10厘米处	20厘米处	30厘米处
第一次			
第二次			
第三次			

做个"钟摆"

利用上面的木条（或塑料棒）、金属圆片，我们能做一个每分钟正好摆动60次的摆吗？

金属圆片的位置该怎么调整？

8 制作一个一分钟计时器

设计时钟的要诀在于让指针以一定的快慢移动，几世纪以来的时钟都是用摆锤控制与齿轮相连的指针运转的。

摆钟的摆锤是怎样带动指针一直以相同的快慢转动的？

观察摆钟齿轮操纵器

垂体时钟是利用下垂物的重力来转动齿轮，当垂体所受的重力转动齿轮时，摆锤与齿轮操纵器会联合工作，控制转动的规律。

摆锤与齿轮操纵器是如何运作的？

垂体时钟

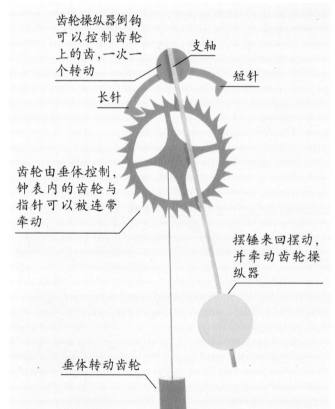

齿轮操纵器倒钩可以控制齿轮上的齿，一次一个转动

支轴

短针

长针

齿轮由垂体控制，钟表内的齿轮与指针可以被连带牵动

摆锤来回摆动，并牵动齿轮操纵器

垂体转动齿轮

摆钟齿轮操纵器两端各有倒钩，可以卡在齿轮中间，以便控制齿轮的转动。而齿轮操纵器又与摆锤相连。当摆锤来回摆动时，总会松开其中一端的操纵器，让它可以跳过一个齿。这样，摆锤每摆动一次，操纵器就可以控制一个齿，如此一个接一个有规律地使齿轮转动，同时带动指针转动。

摆锤在最右边时，长针部分的操纵器倒钩会卡住齿轮。

摆锤摆到最左边时，长针部分的操纵器倒钩会松开，垂体的拉力会让齿轮往前滑动一齿，短针部分的操纵器倒钩随即卡住，不让它继续转动。

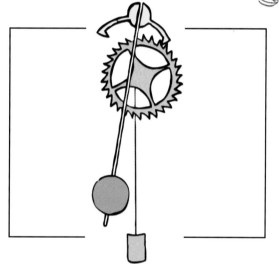

噢！原来如此，简直妙极了。

当摆锤又摆回最右边时，齿轮又前进一齿，同时操纵器长针部分的倒钩又卡住齿轮。

用卡纸或塑料片按照书本中的图样仿制一个齿轮操纵器。

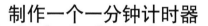

这是我们小组制作的。

制作一个一分钟计时器

用我们制作好的每分钟正好摆动60次的摆锤，组装一个齿轮操纵器。然后在齿轮中间安装一个指针和钟面，标出时间刻度。这样，就组成了一个简易的"摆钟"。

轻轻拨动摆锤，我们的"摆钟"能自由地运转起来吗？

如果不能，仔细查找原因，并调整好每个部件的位置，使它们能协调运作。

我们每个小组都能制作完成一个能准确计量一分钟的时间的"摆钟"了吗？

日 晷

日晷又称"日规"，是我国古代利用日影测量时间的一种计时仪器。日晷通常由铜制的指针（晷针）和石制的圆盘（晷面）组成，在晷面的正反两面有12个大格，每个大格代表两个小时。当太阳光照射在

日晷上时，晷针的影子就会投向晷面。太阳由东向西移动时，投向晷面的晷针影子也会慢慢地由西向东移动。移动着的晷针影子就好像是现代钟表的指针，晷面也就好比是现代钟表的盘面，以此来显示时刻。

日晷依晷面所放位置的不同，可分成地平日晷(晷面水平放置而晷针指向北极，晷面和晷针之间的夹角就是当地的地理纬度)、赤道日晷(晷针平行地球自转轴而晷面呈北低南高状摆放，晷面和晷针垂直)等。

水 钟

水钟在我国古代又叫"刻漏"，是根据滴水的等时性原理来计时的工具。滴水记时有两种方法，一种是利用特殊容器记录水漏完的时间（泄水型）；另一种是底部不开口的容器，记录它用多少时间把水接满（受水型）。我国的水钟，最先是泄水型的，后来发展到泄水型与受水型同时使用。

时间的测量

左图中的刻漏，主要由几个铜水壶组成，所以又叫"漏壶"。除了最底下的那个，每个壶的底部都有一个小眼。水从最高的壶里，经过下面的各个壶滴到最低的壶里，滴得又细又均匀。最低的壶里有一个铜人，手里捧着一支能够浮动的木箭，壶里水多了，木箭浮起来，根据它上面的刻度，就可以知道时间了。

教堂里的"摆"

从古老的挂钟到小巧的快摆手表，尽管花样繁多，却都有个摆。在人类计时仪器的发展史中，摆的发现可算是件重大的历史事件。

这么重要的发现却是由一位比我们年龄稍大的年轻小伙子发现的呢！

这件事发生在1583年。那时的欧洲被教会统治着，每个礼拜日教堂都跪着虔诚的教徒，迷信窒息着科学。

在意大利的比萨城里，有一个17岁的大学生伽利略，当时他正在学医。这天，教堂的钟声又响了，他随着人群跪拜到神像之下。忽然，一阵风吹来，头上发出轻轻的响声。什么在响呢？伽利略不顾低头祈祷的规定，抬头一看，原来是悬在天花板上的挂灯微微晃动了。这本来是人们常见的现象，而伽利略却细心地观察起来。

"呵，多么平稳，多么均匀呵！"自幼爱好机械的伽利略好像发现了一个秘密，竟忘了祈祷。

当时没有钟表，怎样比较这吊灯摆动一次的时间呢？伽利略思考着……

有一次在课堂上，他听到老师的讲解："……一般地说，脉搏跳动的次数是稳定的……"呵！能不能用脉搏来测定那个摆动着的吊灯呢？再次做礼拜时，伽利略按着手腕，看着吊灯，暗暗计算着吊灯摆动的时间。他发现：在吊灯的摆动逐渐平息的过程中，也就是摆动的幅度变得越来越小时，每次摆动所用的时间并不改变！这一发现引起了伽利略的思考：是不是其他的摆动也跟吊灯相似，摆动一次的时间跟摆动幅度的大小没关系？吊灯的轻重不影响摆动一次的时间呢……

回去以后，伽利略找了些长短不同的绳子和轻重不同的石头，他用绳子系住石头做成摆，研究摆动的规律。他发现，摆动一次的时间，只由摆绳的长短来决定，不但跟摆动幅度的大小没关系，而且跟石头的轻重也没关系；只要摆绳的长度一定，摆动一次的时间就一定。这就是单摆的等时性。

伽利略很想用摆来指示时间。但是，科学被宗教压制，他由于从事科学活动遭到了教会的迫害。到1636年，他已经双目失明，还向荷兰政府建议试制摆钟，却没有如愿。

1656年，荷兰科学家惠更斯完成了伽利略的遗愿，造出了一座带摆的时钟。

时间的痕迹

许多动植物都会精确记录它们的成长过程。以树为例，每一年都会增加一个新的年轮，我们可以从树干的横切面中清晰地看出它的成长记录。

从枯死的树木上锯下一段树干，仔细观察，能看清楚树木的年轮吗？数数这棵树在死去前已经生长了多少年。

到处都有时间的痕迹

摸摸自己的头发，看看自己的手指甲，又长长了吗？

翻翻自己的相片，看看过去的自己。相片是不是记录了我们成长的足迹？

到古居或山野里寻找自然界保留的"时间的痕迹"吧！

恐龙化石

地球的运动

　　火车在前进吗？轮船在行驶吗？生活中我们看到的物体运动，大多可以直观地作出判断。人类生存的地球也在运动，但是地球是一个非常巨大的球体，地球上的人和物体都在与地球共同运动，我们很难研究，因此，认识地球运动有一定的困难。

　　人类对地球的认识经历了漫长的几千年，人类对地球运动的认识经历了哪些过程？又是怎样找到地球运动的证据的呢？地球的运动和地球上的自然现象之间存在着怎样的联系呢？地球的运动又与我们的生活有哪些关系呢？

　　让我们一起进入本单元的学习吧！

1 ▷ 昼夜交替现象

太阳东升，白天来到；太阳西落，夜幕降临。第二天太阳又从东方升起来，白昼又来临了……昼和夜就这样不停地交替出现。

地球上的昼夜现象为什么会不断交替出现呢？地球、太阳在怎样运动时才会导致这种现象发生呢？

昼夜交替的假说

说说我们的观点。

1. 地球不动，太阳围着地球转

2. 太阳不动，地球围着太阳转

4. 地球围着太阳转，同时地球自转

3. 地球自转

哪一种观点是正确的？
我们怎样才能知道哪一种观点是正确的？

昼夜交替现象的模拟实验

让我们来模拟表现地球上的昼夜交替现象，检验我们的假说是否成立。

手电筒光比蜡烛光强，也许更合适一些。

需要用什么材料来模拟呢？

用乒乓球当地球，用蜡烛当太阳。

手电筒静止，乒乓球转动

我们可以做模拟实验啦！

乒乓球静止不动，手电筒绕着乒乓球转动

乒乓球转动，手电筒也绕着乒乓球转动

我们小组有好几种方法都可以让乒乓球上出现昼夜交替现象。

模拟实验中让乒乓球上出现"昼夜交替现象"的方法有好几种。我们可以画出实验的示意图来，用箭头线表示手电筒和乒乓球的运动方式和方向。

乒乓球上可以出现昼夜交替现象的示意图

有多少种可能的解释

模拟实验的方法有多少种?

对于昼夜交替现象的解释,有多少种可能呢?

在没有新的证据前,前面哪些有关昼夜交替现象的假说暂时是正确的?

从这些解释中,我们又都能发现什么吗?

把我们的所有解释都用图画出来,张贴在墙上,然后去找地球运动的新证据,再对这些解释进行排除或修正,直到形成最终的解释。

2 ▶ 人类认识地球及其运动的历史

　　和我们一样，自古以来，人们就试图对地球昼夜交替的现象进行解释。要解释这个现象，首先必须对地球的形状和运动方式进行探索。在这方面曾经有过哪些主要的观点和学说呢？

有多少种可能的解释

　　托勒密是古希腊天文学家，约生于公元100年。关于地球和地球的运动，他提出了"地心说"理论。

　　托勒密提出的主要观点是：

　　1. 地球是球体。如果大地是平面的话，所有的人都会同时看到太阳或星辰的出没，但事实并非如此。

　　2. 地球处于宇宙中心，而且静止不动。如果地球转动，就必然会带动其他物体（如云彩等）一起转动，人们看见的却是云彩、鸟类在自由运动。

　　3. 所有的日月星辰都绕着地球旋转，并且每天做一次圆周运动，因为人们看到的是这些天体每天都在有规律地东升西落。

　　想一想，托勒密的观点相当于我们模拟实验中的哪一种解释？

托勒密的地心本轮示意图

日心说

　　哥白尼（1473—1543）是波兰的天文学家。哥白尼上中学时就对天文学很感兴趣，曾跟着老师在教堂的塔顶上观察星空。他相信研究天文学只有两件法宝：数学和观测。他不辞劳苦，克服困难，每天坚持观测天象，30年如一日，终于取得了可靠的数据，提出了"日心说"，并在临终前出版了他的不朽名著《天体运行论》。

哥白尼提出的主要观点是：

1. 地球是球形的。如果在船桅顶放一个光源，当船驶离海岸时，岸上的人们会看见亮光逐渐降低，直至最后消失，这说明地球表面是球形的。

2. 地球是在运动，并且24小时自转一周。因为天空比大地大得太多，如果无限大的天穹在旋转，而地球不动，实在不可想象。

3. 太阳是不动的，而且处于宇宙的中心，地球以及其他的行星都一起围绕太阳做圆周运动。

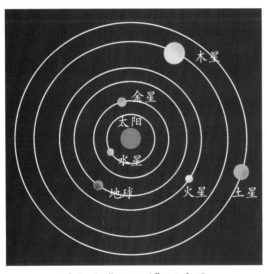

哥白尼"日心说"示意图

想一想，哥白尼的观点相当于我们模拟实验中的哪一种解释？

上面的两种观点有哪些相同和不同之处？

他们都运用了哪些证据来证明他们各自的观点？这些证据充分吗？

这两种学说能否合理地解释昼夜交替现象呢？

根据以上资料，我们作出的昼夜交替现象的解释有哪些可以被排除或保留？为什么？

搜集其他天文学家的研究内容，看看他们对地球运动的观点和证据。

3 证明地球在自转

哥白尼认为地球在自转。可人们一开始就对这一观点表示怀疑，因为当时没有人观察到地球在自转。虽然我们现在已能通过人造卫星等观测到地球确实在自转，可前人是怎样通过实验来证明地球在自转的呢?

摆的特点

实验已证明摆具有保持摆动方向不变的特点。让我们也来做一个类似的实验。

1. 用铁架台（或自制木架）做支架，挂上一个摆。

2. 将铁架台和摆一起放到一个圆底盘上。先让摆前后来回摆动起来，再缓慢而平稳地转动圆底盘。

法国一位名叫傅科（1819—1868）的物理学家，在家中研究摆的规律时偶然发现：将摆和它的支架放在一个圆形底盘上，将摆摆动起来并且慢慢地转动圆底盘时，摆摆动的方向并没有随着圆盘的转动而转动，而是基本不变。

当圆底盘转动后，摆摆动的方向变了吗? 是跟着圆盘一起转动了还是基本不变?

摆的方向的记录

底盘和摆架转动情况	摆摆动方向
未转动时	前后来回
缓慢而平稳地转动90度后	
缓慢而平稳地转动180度后	
缓慢而平稳地转动360度后	
我的结论是	

傅科摆

在1851年，也就是"日心说"发表300年后，傅科根据他在日常生活中的发现，用实验证实了地球在自转。

傅科将一个摆长为60余米、重27千克的铁球摆锤吊挂在一个高高的圆顶大厦里，并且在摆下的地面上画上一个刻度盘。当时，许多人都来观看这一奇妙的实验。摆摆动起来，随着时间一分一秒地流逝，人们惊奇地看到：刻度盘所指示的方向与摆摆动的方向悄悄地发生着"偏转"，并且是沿顺时针方向发生偏转。由于摆能保持摆动方向不变，所以这恰好证明了地球在旋转。人们终于亲眼看到了地球在自转。

　　"傅科摆"作为地球自转的有力证据，现已为世界所公认。我国北京天文馆的大厅里就有一个"傅科摆"，一个金属球吊在高高的圆穹顶上，摆下面是一个有刻度的大圆盘。摆摆动时人们可以在刻度盘上读取旋转的度数。前去参观的人们都喜欢在这里停留一段时间，亲眼看一看地球是怎样自转的。

　　查阅资料，看看还有哪些证据可以说明地球在自转。

对昼夜现象进行解释

　　对于前面有关昼夜交替现象的种种可能的解释，我们将排除哪些？保留哪些？

4 谁先迎来黎明

既然地球在自转，那么地球上不同的地区，每天迎来黎明的时间先后会一样吗？比如我国的北京和乌鲁木齐，谁先迎来黎明呢？

地球仪可以告诉我们它们的位置。

还要知道地球自转的方向，才能知道它们谁先迎来黎明。

在黎明时，打一个电话问问北京和乌鲁木齐的小朋友就知道了。

要比较它们的位置有何不同。

观察地球仪或地图上北京和乌鲁木齐两个城市，并确认它们的位置关系。

地图上是左西右东嘛！

北京和乌鲁木齐相对位置是：北京在东。

模拟实验

我们来做一个模拟实验。小组的同学手拉手面朝外围成一个圆圈模拟"地球"，其中一个同学身上贴上写有"北京"和"东"的纸片，代表"北京"；在他右手边的一个同学身上贴上"乌鲁木齐"和"西"的纸片，代表"乌鲁木齐"；再请一个同学站在圈外举一个红色纸片，代表"太阳"。大家按照由西向东的方向（即逆时针方向）慢慢转动，看看"北京"和"乌鲁木齐"谁会先见到"太阳"。然后大家再按照由东向西的方向（即顺时针方向）慢慢转动，看看又是谁先看到太阳。

确认地球自转的方向

地球自转的方向不同，人们迎来黎明的时间先后就不同。地球的自转方向到底是怎样的？

要知道地球的自转方向，我们可以先从生活中的一些例子开始思考。

在向前行驶的车上，向窗外看去，马路两旁的树林运动方向是怎样的？

坐在转椅上，如果顺时针转动转椅，周围的景物的运动方向是怎样的？

坐在地球这个"大转椅"上，我们看到地球周围的星体，如太阳、月球等，它们的运动方向是怎样的？

那就说明地球自转的方向是……

我们都观察到太阳每天东升西落……

地球自转一周是24小时，相当于1小时转动15度……

经线不就可以告诉我们答案吗？

看看地球仪，很快就知道了。

我们已经知道地球在自转。在自转的地球上看到地球以外的其他星体（如太阳、星星等）东升西落，这其实正是地球与它们相对运动的结果。地球自转的方向，正好与它们自东向西（或顺时针）运动的方向相反，是自西向东（或逆时针）方向。

我们又怎么才能知道北京和乌鲁木齐日出的时间相差多少小时呢？

北京和巴黎的日出时间又相差几小时呢？

北京和纽约呢？

世界时区图可以帮助我们迅速地寻找到这些问题的答案。

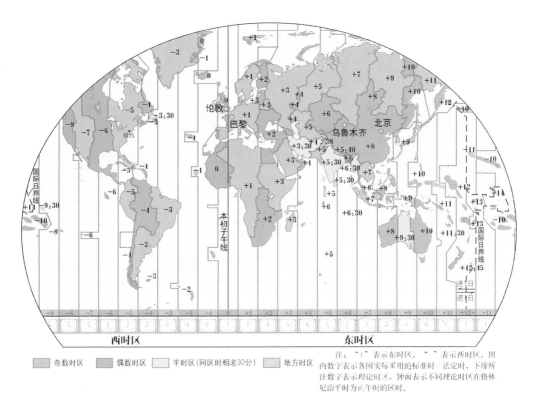

注："＋"表示东时区，"－"表示西时区，图内数字表示各国实际采用的标准时—法定时，下缘所注数字表示理论时区，钟面表示不同理论时区在格林尼治平时为正午时的区时。

图例：奇数时区　偶数时区　半时区(同区时相差30分)　地方时区

这是一张世界时区图。从图中我们可以看出：人们以地球经线为标准，将地球分为24个时区。将通过英国伦敦格林尼治天文台的经线，定为0度经线。从0度经线向东180度属东经，向西180度属西经。经线每隔15度为一个时区，相邻两个时区的时间就相差1小时。由于地球自转的方向是自西向东（或逆时针），也就意味着越是东边的时区，就越先迎来黎明。

让我们小结一下地球及其运动的特点。

地球的形状	自转的证据	自转方向	自转周期

5 北极星"不动"的秘密

人们在夜间观星时，发现一个特殊现象：北极星的位置好像始终没有变化，而其他的星星每天都围绕北极星在逆时针旋转。

这是怎么一回事呢？

人们在南极也拍到了星星旋转的情况

这张照片是人们在夜晚较长一段时间内连续对着北极天空拍摄而得到的。那些发亮的光环就是星星们在这段时间里运行的轨迹。圆心附近的亮点就是北极星

对北极星"不动"的解释

仔细观察这两张图片，并且进行分析和解释：

1. 两张图片有什么共同点？

2. 图中的星座在做什么运动？为什么会这样呢？

3. 圆心附近的北极星看上去不动，怎么解释呢？

对于北极星"不动"，我们怎样解释？

圆心都不在天顶。

似乎都有一个中心点。

中心点外都有许多圆环。

我想出一个办法来解释北极星"不动"的原因。

让纸板转动起来，"北极星"是不动的。

北极星 北斗七星

我在转椅上，转动时，眼光直对北极星不变，余光观察北极星周围的星星。

我用一个转动的陀螺解释。

从图片中可以看出，北极星的位置并不是在头顶正上方，而是在人们视线往上倾斜的北方的天空中。

用一个球来代表地球，在球上贴几个小纸片，分别代表居住在地球上的"人"；在一面墙上贴一颗星，代表天空中的"北极星"。我们如何使球自转又让地球上的"人"看到北极星是"不动"的？

人们发现，不仅一天中北极星基本不动，而且一年四季中，其他的星星也都是围绕着北极星东升西落，北极星也似乎不动。这又说明了什么？

原来，地球是围绕着一个假想的轴在转动，称作地轴。北极星就处在地轴的延长线上。地球转动时，地轴始终倾斜着指向北极星，这就是北极星"不动"的秘密。因此，地球仪也都是做成倾斜的样子。

让我们小结一下地球自转时的特点。

是否围绕地轴自转	地轴是否倾斜	地轴倾斜方向是否变化

6 地球在公转吗

我们已经知道地球在自转，地球是否同时在围绕太阳公转呢？

坐航天飞机到太空中观察一年就知道了。

什么叫做地球的公转？

公转就是地球围绕着太阳转动。公转一周是一年。

在还不能到太空中去的时候，人们又是怎么知道的呢？

模拟实验

如果地球真是围着太阳公转，当它从轨道上的A点沿逆时针方向运动到B点时，地球上的人观察天空中远近不同的1号星和2号星，会看到怎样的现象呢？

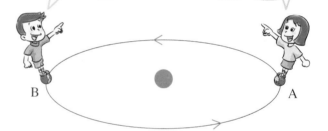

远近不同的星星的位置移动变化相同吗？

看上去星星的位置会发生移动吧。

两颗星星慢慢出现，又慢慢消失了。

我在A点时，看到1号星相对处于2号星的左边第三格的位置，而到了B点……

我们到操场上去做一个模拟实验。

1. 在操场上画一个圆圈，圆圈中心放一个红色的圆纸片，代表"太阳"。

2. 找两根木竿，分别立在离圆圈远近不同的地方。在木竿的顶端分别贴上两个蓝色的圆纸片，代表远近不同的两颗星。在远处的星上，横着挂上一个木尺，并在木尺上每隔10厘米竖着贴上一个木条。

3. 我们在圆圈上背对着红色圆点转动一周，表示"地球"围着"太阳"公转一周。

当我们从A点运动到B点时，两颗星在怎样运动？运动方向如何？

站在A、B两点，仔细观察两颗星，并分别记下1号星相对于2号星的位置。再做一次，把两根木竿立在离我们更远一些的地方，仍然在A、B两点观察两颗星的位置有何变化，视觉中两颗星的位置相差多少厘米？如果再远一些呢？

我的观"星"记录

观测次数	公转到A点时	公转到B点时	在A、B两点观察1号星的视觉差
第一次（近时）	1号星在2号星（　）边第（　）厘米	1号星在2号星（　）边第（　）厘米	（　）厘米
第二次（远时）	1号星在2号星（　）边第（　）厘米	1号星在2号星（　）边第（　）厘米	（　）厘米

恒星的周年视差

人们在不同夜晚的同一时间观察星座时发现，天空中星座的位置会随着时间的推移逐渐由东向西移动，比如北斗七星就是如此。这可以说明地球在公转。人们在观察远近不同的星星时产生的视觉上的相对位置差异——恒星周年视差，也能够证明地球在围绕太阳不停地转动。

地球绕太阳的轨道直径大约是3亿千米，但相对天空中恒星之间的距离来说，3亿千米确实太小太小，以至于人们长期不能发现恒星的周年视差。所以"日心说"发表后300年左右时间里，人们（包括一些天文学家）依然对地球公转表示怀疑。直到1838年，德国天文学家贝塞尔使用新制的望远镜进行月复一月的观察，终于成功地测出了一颗恒星的视差。他报告说天鹅座61星的视差为0.31角秒，这个视差相当于把一枚硬币放在16千米远处的宽度。

在贝塞尔成功观察到恒星的周年视差后，一些天文学家又相继测得了其他恒星的周年视差，从而证明了地球确实在围绕太阳转动。

现在，人们通过太空望远镜、人造卫星等，能直接观察到地球确实在围绕太阳公转。

有关昼夜现象的解释，我们将保留哪一种？为什么？

7 为什么一年有四季

四季交替，年年循环，这是我们都熟悉的现象，四季是怎么形成的呢？

模拟实验

我国古代人们是这样研究四季的。

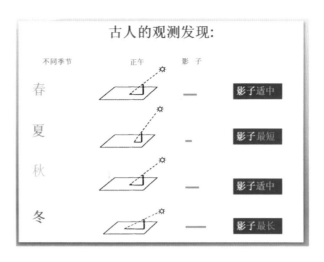

古人的观测发现:

不同季节	正午	影子	
春		—	影子适中
夏		—	影子最短
秋		—	影子适中
冬		—	影子最长

我们来模拟古人的做法，在四个地球仪中间放一盏灯当作太阳，在公转轨道上确定A、B、C、D四个方位，调整地轴倾斜指向北方，在北半球同一地点上都立一根标杆，标杆正对太阳（正午时间），观察地球仪上标杆的影长。

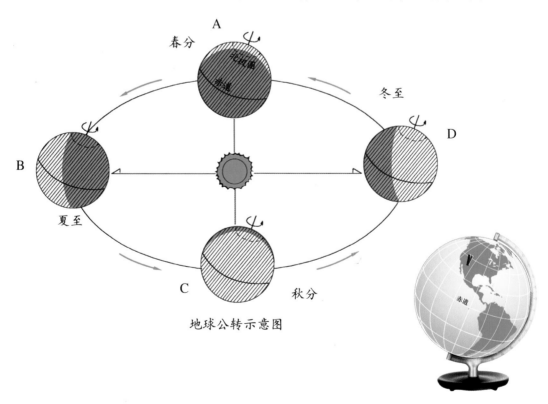

地球公转示意图

我的观察记录

公转地点	杆影长短	季节判断
A		
B		
C		
D		

我们是否能够看到古人研究的结果？能根据这些结果确定不同方位所处的季节吗？

如果地轴不是倾斜的，还能看到这样的现象吗？

上面的实验说明，在一年中地球被阳光照射的情况会发生什么变化？地球上的不同地区被阳光照射的情况有什么不同？

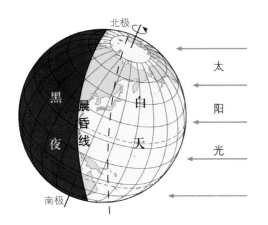

阳光的直射与斜射造成了地球上不同地区气温的不同。

用同样的方法观察南半球被阳光照射的情况，对比进行思考。

我们能够对一年中为什么会有四季出现进行解释了吗？

地球的运动造成了四季的变化，根据我们的研究过程，解释四季的成因，并且记录下来。

四季的成因：_____

8 极昼和极夜的解释

在地球的南极和北极，有许多事情令人感到奇怪，其中之一就是极地的白天或黑夜很长。北半球夏季时，太阳长挂在北极天空就是不会下落，北极中心地区的白天甚至可以长达半年的时间；而到了冬季，就几个月见不到太阳，北极点附近有半年的时间都处在黑夜之中。人们把这样的现象叫极昼和极夜。

我们能运用所学的知识解释这一现象吗？

极昼和极夜现象

极地风光

南极午夜的太阳

怎么解释极昼和极夜现象呢？

既然是昼和夜，一定跟地球的自转有关。

长达半年可见太阳，也就是说太阳还可照射到极地，可能跟地轴倾斜有关。

要综合运用所学的地球运动的知识。

我可以用模拟实验来解释。

极昼和极夜的解释

我们可以做一个模型来进行模拟实验。

1. 我的解释是：

我需要一个地球仪，一支手电筒。

2. 我的解释可以更明显一些：

用一个纸板表示白昼和黑夜的分界线。在纸板中间剪一个和地球仪大小差不多的圆，在纸的一面涂上黄色，另一面涂上黑色。把地球仪倾斜插进竖直在桌面的纸板中，让北极圈处在黄色纸板一面。

 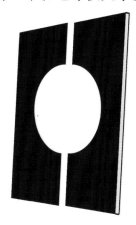

3. 我的解释方法是直接用图表示。

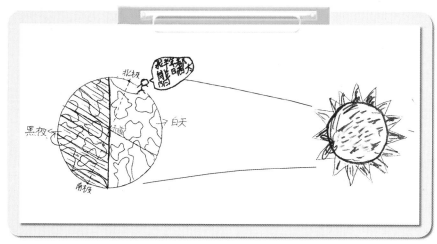

现在人们已经知道，地轴倾斜度大约是23度。如果地轴的倾斜度再大一些，会怎样呢？

我认识了地球的运动

在本单元的学习中，我们研究了：

地球的运动

地球的运动主要有两种形式：

对地球两种运动形式的描述：
（方式、方向、周期、特点）

判断地球运动的依据：

地球运动产生的自然现象：

在认识地球运动的过程中我们还知道了一些有趣的现象：
如：日照时间冬短夏长

如果需要深入研究下去，我们还可以将哪些内容添加进自己对地球运动的概括与总结之中呢？

地球公转的轨道是一个椭圆，地球距离太阳的远近会不会影响地球上的气温？

阳光会不会直射到地球的南北两极？

地球公转与自转的速度是多少？

为什么会"坐地日行八万里"

毛泽东主席在他的一首诗中写道："坐地日行八万里，巡天遥看一千河。"真的可以"坐地日行八万里"吗？

现在，我们都知道地球自转一周需要24个小时，地球赤道周长为40075千米，也就是说，如果你在地球的赤道上，一天就可以运动80150里。所以可以"坐地日行八万里"。

有人就表示反对了，如果人们不是在赤道上，那么一天就不能够运行八万里了吗？是的，离开赤道越远，走的距离越短，如果站在北极点和南极点上，走的距离为零。

其实，地球除了自转外，还在不停地围绕太阳公转，速度是每秒30千米，你可以算一算，地球一天公转有多少千米？

地球除了自转和公转外，还被太阳带领着围绕银河系的中心高速运动，速度是每秒250千米，你还可以再计算一下，以这个速度我们每天可以运行多少千米？

以这么快的速度转动，为什么我们没有感觉呢？原因是地球就像一艘开得十分平稳的大船，宇宙空间又没有大风大浪，我们又都像小蚂蚁一样住在船舱里，所以就没有什么感觉。

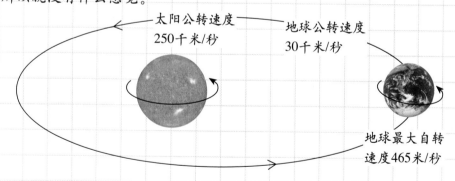

北极星是永远不动的吗？

北极星其实是一颗不太亮的星星，它是小熊星座的一颗星，天文学家也称它为小熊座 α（读音阿尔法）星。由于它总在北方天空，位于地球自转轴北极所指的延长线上，人们都习惯用它来辨识方向，所以称它为北极星。

北极星永远都不动吗？或者说地球自转轴北端始终都指着它吗？

其实，在5000年前（即公元前3000年前），北极星的位置还不在现在这个位置。那时候，它是天龙星座的一颗星，处于北极点的正上方。由于地球的自转轴倾斜的角度不是一成不变的，而是有2度～5度的缓慢的周期变化，因此，

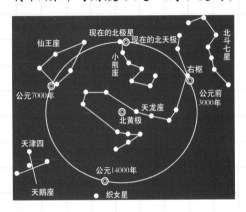

地轴所指向的北极的方向也会发生变化。现在我们看到的北极星，实际上已经是另外一颗星了，它是接替了前面天龙星座那颗星的"皇位"才当上北极星的。即使现在，北极星也与北极所指位置有1度的差异，但我们肉眼很难发现这个差异带来的变化，所以看起来北极星的位置没有发生变化。

如果你能活到公元7000年，你就一定会明显地看到北极星的位置变了，因为那时候，北极星的"皇位"又将交给另一颗星了。看看上面的图，你就知道北极星的位置变化了！

地球自转会产生哪些突出现象？

我们已经知道，地球自转会导致昼夜交替现象。因为地球是一个不透明的球体，太阳只能照亮地球的表面，被太阳照亮的一半就是白昼，没有照亮的一半就是黑夜。地球周期性的自转，使地球表面上的任一点，都可能迎来太阳和送走太阳，所以就出现了昼夜交替现象。

由于地球是一个高速自转的球体，不同纬度的地方，自转的线速度快慢不一样，赤道上自转的线速度最大，两极自转的线速度最小，两个极点上线速度为零。因此使得地球上的物体在做南北方向的水平运动时会发生偏转。比如，在北半球，如果沿经线的方向往南发射炮弹，在飞行较长一段距离后，炮弹会发生向右偏离现象。人们也发现，北半球上从北往南流动的河流，右岸冲刷得比左岸更厉害一些。而在南半球偏离的方向就刚好相反。

同时，也因为赤道上自转线速度较大，使得地球的赤道直径比两极直径要长。所以，地球其实是一个"肚子"较大的椭圆球体。